Nuestra Historia™

para mi hijo

Nuestra Historia
- para mi hijo

"Nuestra Historia" te inspirará a recopilar las vivencias de tu hijo desde su infancia hasta los 18 años. Recoger estos momentos tan especiales te llevará muy poco tiempo y las experiencias vividas juntos quedarán para siempre en este libro.

"Nuestra Historia" te ayudará a recordar los momentos familiares más divertidos e irrepetibles y también a seguir el crecimiento, el desarrollo y la personalidad de tu hijo.

Es, sin duda, un buen recuerdo de todos los años de su infancia hasta los 18 años. El podrá disfrutar de este viaje emocional, en el que se han ido formando estos vínculos entre vosotros.

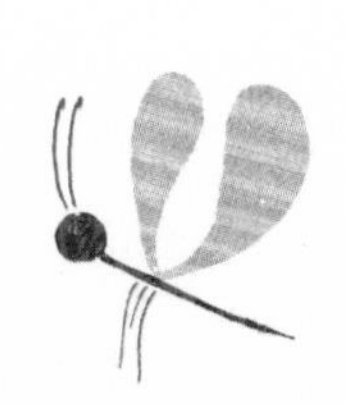

Nuestra Historia...

Este libro está dedicado a:

Diego :)

27.09.2020.

Fecha de nacimiento…

Lugar de nacimiento…

Color de ojos…

Color de pelo…

Grupo sanguíneo…

Nombre de tus abuelos…

Estudios…

Trabajos…

Fecha de nacimiento... 16 Septiembre 2020

Lugar de nacimiento... Tunbridge Wells

Hora de nacimiento... 06:20 am

Las primeras visitas...

Color de ojos... Grises

Color de pelo... Moreno

Grupo sanguíneo...

Nombre de tus padres... Rafa y Rosa

A quién te pareces... a papá

"Hay dos legados duraderos que
podemos dar a nuestros hijos.
Uno son nuestras raíces,
y el otro son alas."

Hodding Carter

Nuestro
1er
Año
Juntos

Fecha
1
Tus cosas preferidas…
Lo que más me gusta de ti…
Recuerdos de tu 1er año…
Altura…
Peso…

1
Qué hemos hecho juntos este año…
Logros de este año…

Cómo eres ...
mama

Qué sueles hacer ...
Diego
Lo más destacable del año ...
papá

Tu cumpleaños y cómo lo celebramos...

Cómo pasamos la Navidad...

Qué sucede en el mundo ...

Qué planes tenemos para el año que viene ...

"Los niños son como las estrellas. ¡Nunca hay demasiados!"

Madre Teresa de Calcuta

NOTAS

Nuestro
2º
Año
Juntos

Fecha
2
Tus cosas preferidas…
Lo que más me gusta de ti…
Recuerdos de tu 2º año…
Altura…
Peso…

2
Qué hemos hecho juntos este año...
Logros de este año...

Cómo eres ...
Qué sueles hacer ...

2
Lo más destacable del año ...

Tu cumpleaños y cómo lo celebramos...

Cómo pasamos la Navidad...

Qué sucede en el mundo…
Qué planes tenemos para el año que viene…
"No les evitéis a vuestros hijos las dificultades de la vida, mejor enseñadles a superarlas."
Louis Pasteur

NOTAS

Nuestro
3er
Año Juntos

Fecha
3
Tus cosas preferidas …
Lo que más me gusta de ti …
Recuerdos de tu 3er año …
Altura …
Peso …

3
Qué hemos hecho juntos este año…
Logros de este año…

Cómo eres…

Qué sueles hacer ...
Lo más destacable del año ...

Tu cumpleaños y cómo lo celebramos…

Cómo pasamos la Navidad…

Qué sucede en el mundo…
Qué planes tenemos para el año que viene…
"Una casa sin hijos es como
una colmena sin abejas."
Victor Hugo

NOTAS

Nuestro
4º
Año
Juntos

Fecha
4
Tus cosas preferidas ...
Lo que más me gusta de ti ...
Recuerdos de tu 4° año ...
Altura ...
Peso ...

4
Qué hemos hecho juntos este año…
Logros de este año…

4
Cómo eres...
Qué sueles hacer...

Lo más destacable del año ...
4

Tu cumpleaños y cómo lo celebramos…
Cómo pasamos la Navidad…

Qué sucede en el mundo ...

Qué planes tenemos para el año que viene ...

"Quien tiene un hijo tiene un tesoro."

Ignacio Rivera

NOTAS

Nuestro
5º
Año Juntos

Fecha
5
Tus cosas preferidas…
Lo que más me gusta de ti…
Recuerdos de tu 5º año…
Altura…
Peso…

5
Qué hemos hecho juntos este año…
Logros de este año…

5
Cómo eres ...

Qué sueles hacer ...

Lo más destacable del año ...

Tu cumpleaños y cómo lo celebramos...

Cómo pasamos la Navidad...

Qué sucede en el mundo ...

Qué planes tenemos para el año que viene ...

"El hogar es donde atamos un extremo del hilo de la vida."

Martin Buxbaum

NOTAS

Nuestro
6º
Año
Juntos

Fecha
6
Tus cosas preferidas …
Lo que más me gusta de ti …
Recuerdos de tu 6º año …
Altura …
Peso …

6
Qué hemos hecho juntos este año …
Logros de este año …

Cómo eres ...
Qué sueles hacer ...

6
Lo más destacable del año ...

Tu cumpleaños y cómo lo celebramos...

Cómo pasamos la Navidad...

Qué sucede en el mundo …
Qué planes tenemos para el año que viene …
"No es la carne ni la sangre, sino el corazón, lo que nos hace padres e hijos."
Friedrich Schiller

NOTAS

Nuestro
7º
Año
Juntos

Fecha
7
Tus cosas preferidas…
Lo que más me gusta de ti…
Recuerdos de tu 7º año…
Altura…
Peso…

7
Qué hemos hecho juntos este año...
Logros de este año...

Cómo eres…

Qué sueles hacer ...
Lo más destacable del año ...

Tu cumpleaños y cómo lo celebramos...
Cómo pasamos la Navidad...

Qué sucede en el mundo…
Qué planes tenemos para el año que viene…
"El mejor legado de los padres a
sus hijos es un poco
de tiempo cada día."
Leon Battista Alberti

NOTAS

Nuestro
8º
Año Juntos

Fecha
8
Tus cosas preferidas…
Lo que más me gusta de ti…
Recuerdos de tu 8º año…
Altura…
Peso…

8
Qué hemos hecho juntos este año…
Logros de este año…

Cómo eres ...
Qué sueles hacer ...

8
Lo más destacable del año ...

Tu cumpleaños y cómo lo celebramos…

Cómo pasamos la Navidad…

Qué sucede en el mundo …
Qué planes tenemos para el año que viene …
"Cada día de nuestra vida
hacemos depósitos en el banco de
memoria de nuestros hijos."
Charles Swindoll

NOTAS

Nuestro
9º
Año
Juntos

Fecha
9
Tus cosas preferidas …
Lo que más me gusta de ti …
Recuerdos de tu 9º año …
Altura …
Peso …

9
Qué hemos hecho juntos este año …
Logros de este año …

Cómo eres …

Qué sueles hacer …

Lo más destacable del año …

Tu cumpleaños y cómo lo celebramos…

Cómo pasamos la Navidad…

Qué sucede en el mundo …

Qué planes tenemos para el año que viene …

"Dale a tu hijo una idea constructiva, y lo habrás enriquecido para siempre."

Montaper

NOTAS

Nuestro

Año Juntos

Fecha
10
Tus cosas preferidas…
Lo que más me gusta de ti…
Recuerdos de tu 10º año…
Altura…
Peso…

10
Qué hemos hecho juntos este año…
Logros de este año…

10
Cómo eres ...
Qué sueles hacer ...

10
Lo más destacable del año ...

Tu cumpleaños y cómo lo celebramos…

Cómo pasamos la Navidad…

Qué sucede en el mundo …

Qué planes tenemos para el año que viene …

"Desconocemos el amor de los padres hasta que tenemos a nuestros propios hijos."

Henry Ward Beecher

NOTAS

Nuestro
11º
Año
Juntos

Fecha
11
Tus cosas preferidas ...
Lo que más me gusta de ti ...
Recuerdos de tu 11º año ...
Altura ...
Peso ...

11
Qué hemos hecho juntos este año...
Logros de este año ...

Cómo eres ...

Qué sueles hacer ...

Lo más destacable del año ...

Tu cumpleaños y cómo lo celebramos...

Cómo pasamos la Navidad...

Qué sucede en el mundo . . .

Qué planes tenemos para el año que viene . . .

"Educar a los hijos es, en esencia, enseñarles a valerse sin nosotros."

Mario Sarmiento

NOTAS

Nuestro
12º
Año
Juntos

Fecha
12
Tus cosas preferidas …
Lo que más me gusta de ti …
Recuerdos de tu 12º año …
Altura …
Peso …

12

Qué hemos hecho juntos este año …

Logros de este año …

Cómo eres ...

Qué sueles hacer ...

12
Lo más destacable del año ...

Tu cumpleaños y cómo lo celebramos…

Cómo pasamos la Navidad…

Qué sucede en el mundo . . .

Qué planes tenemos para el año que viene . . .

"Si el amor por los hijos se pudiera expresar, no habría suficientes hojas para escribirlo, ni tiempo para contarlo."

Anónimo

NOTAS

Nuestro
13er
Año Juntos

Fecha
13
Tus cosas preferidas…
Lo que más me gusta de ti…
Recuerdos de tu 13er año…
Altura…
Peso…

13
Qué hemos hecho juntos este año…
Logros de este año…

Cómo eres...

Qué sueles hacer …

Lo más destacable del año …

Tu cumpleaños y cómo lo celebramos…
Cómo pasamos la Navidad…

Qué sucede en el mundo ...

Qué planes tenemos para el año que viene ...

"Los niños no aprenden lo que los mayores dicen, sino lo que hacen."

Baden Powell

NOTAS

Nuestro
14º
Año
Juntos

Fecha
14
Tus cosas preferidas…
Lo que más me gusta de ti…
Recuerdos de tu 14° año…
Altura…
Peso…

14
Qué hemos hecho juntos este año…
Logros de este año…

14
Cómo eres ...
Qué sueles hacer ...

Lo más destacable del año ...
14

Tu cumpleaños y cómo lo celebramos…

Cómo pasamos la Navidad…

Qué sucede en el mundo...

Qué planes tenemos para el año que viene...

"No importa lo que digas,
No importa lo que hagas,
No importa donde estés,
Yo siempre te voy a amar."

Anónimo

NOTAS

Nuestro
15º
Año Juntos

Fecha
15
Tus cosas preferidas…
Lo que más me gusta de ti…
Recuerdos de tu 15° año…
Altura…
Peso…

15
Qué hemos hecho juntos este año...
Logros de este año...

Cómo eres ...

Qué sueles hacer …

Lo más destacable del año …

Tu cumpleaños y cómo lo celebramos...

Cómo pasamos la Navidad...

Qué sucede en el mundo ...

Qué planes tenemos para el año que viene ...

"Quisera estar siempre cerca
de mi hijo cuando me necesite,
mantenerme a distancia cuando
no le haga falta, y callar
cuando no me pregunte."

Ben Bergor

NOTAS

Nuestro
16º
Año
Juntos

Fecha
16
Tus cosas preferidas…
Lo que más me gusta de ti…
Recuerdos de tu 16º año…
Altura…
Peso…

16
Qué hemos hecho juntos este año…
Logros de este año…

16
Cómo eres ...
Qué sueles hacer ...

Lo más destacable del año…
16

Tu cumpleaños y cómo lo celebramos...

Cómo pasamos la Navidad...

Qué sucede en el mundo …

Qué planes tenemos para el año que viene …

"Disfruta de las pequeñas cosas,
porque tal vez un día vuelvas la
vista atrás y te des cuenta de
que eran las grandes cosas."

Robert Brault

NOTAS

Nuestro
17º
Año
Juntos

Fecha
17
Tus cosas preferidas…
Lo que más me gusta de ti…
Recuerdos de tu 17º año…
Altura…
Peso…

Qué hemos hecho juntos este año…
Logros de este año…

Cómo eres ...

Qué sueles hacer …
Lo más destacable del año …

Tu cumpleaños y cómo lo celebramos...

Cómo pasamos la Navidad...

Qué sucede en el mundo …

Qué planes tenemos para el año que viene …

"Nosotros les damos la vida, pero a ellos les corresponde vivirla."

Maria Garcia-Guereta Silva

NOTAS

Nuestro
18º
Año Juntos

Fecha
18
Tus cosas preferidas…
Lo que más me gusta de ti…
Recuerdos de tu 18º año…
Altura…
Peso…

18
Qué hemos hecho juntos este año…
Logros de este año…

Cómo eres...

Qué sueles hacer...

18
Lo más destacable del año…

Tu cumpleaños y cómo lo celebramos…

Cómo pasamos la Navidad…

Qué sucede en el mundo ...

Qué planes tenemos para el año que viene ...

Mis consejos para tu nueva etapa…

Dedicatorias de tus seres queridos ...

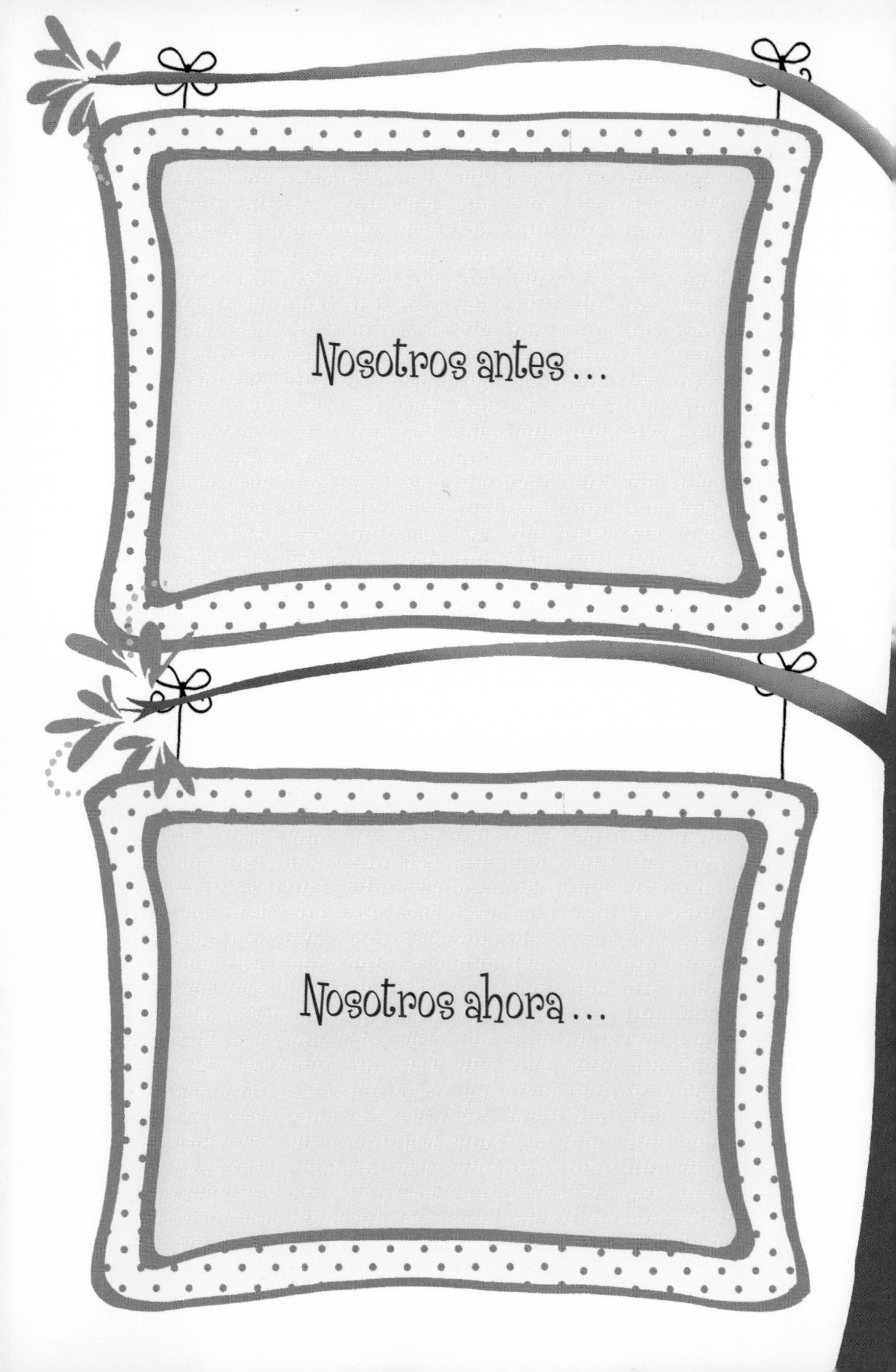
Nosotros antes ...
Nosotros ahora ...

"Cuando has criado a tus hijos,
hay recuerdos que se almacenan directamente
en el conducto lagrimal."

Robert Brault

Nuestra Historia™ - para mi hijo

Publicado originalmente en el Reino Unido por from you to me en enero de 2012

from you to me Ltd
The Old Brewery
Newtown
Bradford on Avon
Wiltshire, BA15 INF
UK
hello@fromyoutome.com
www.JournalsOfALifetime.com

2016 Traducción: Nuestro Historia™ – para mi hijo
Editorial Cuéntame tu vida SL
Primera edición: junio 2016
C/Josep María Sert 38
08173 Sant Cugat del Vallés (Barcelona)
ESPAÑA
info@cuentametuvida.com

ISBN 978-1-907048-94-4
Depósito Legal B-7686-2016

Hemos respetado al máximo todo el material original incluido. Pedimos disculpas si hemos cometido algún error. Estamos dispuestos a hacer los cambios pertinentes en futuras ediciones.

El papel utilizado para la impresión de este libro es 100% libre de cloro y está calificado como papel ecológico según el estándar FSC.

Impreso en España
LIBERDÚPLEX SL
Ctra. BV 2249 km 7,4
Polígon Torrenfondo
08719 St Llorenç D´Hortons
Barcelona

Publicado por from you to me ltd

Comparte las cosas que realmente importan . . .
Comparte tus historias en info@cuentametuvida.com

Títulos en castellano:
Querida mamá
Querido papá
Querida abuela
Querido abuelo
Cuéntame mamá® - tu embarazo y mi primer año
Nuestra Historia™ - para mi hija
Nuestra Historia™ - para mi hijo

Títulos en catalán:
Estimada mare
Estimat pare
Estimada àvia
Estimat avi
Explica´m mare™ - el teu embaràs i el meu primer any
La Nostra Història™ - per a la meva filla
La Nostra Història™ - per al meu fill

Títulos en inglés:
Dear Mum, from you to me
Dear Dad, from you to me
Dear Grandma, from you to me
Dear Grandad, from you to me
Bump to Birthday® - pregnancy and first year journal
Our Story - for my daughter
Our Story - for my son

JournalsOfALifetime.com